EL CONEJO DE FELPA

MARGERY WILLIAMS

Traducción de María del Mar Ravassa

Ilustraciones de Patricia Acosta

Barcelona, Bogotá, Buenos Aires, Caracas, Guatemala, México, Miami, Panamá, Quito, San José, San Juan, Santiago de Chile, Sao Paulo.

Primera reimpresión, 1993
Segunda reimpresión, 1994
Impreso por Editorial Presencia
Impreso en Colombia — Printed in Colombia
Agosto de 1994

Dirección editorial, María del Mar Ravassa
Edición, Catalina Pizano
Dirección de arte, Mónica Bothe

ISBN: 958-04-1839-X

Para Francisco Bianco
de
El Conejo de Felpa

Había una vez un conejito de felpa que al comienzo era verdaderamente sensacional. Era gordo y macizo, como debe ser un conejo; tenía en la piel manchitas de color blanco y marrón; los bigotes eran de pura hebra y las orejas eran forradas de satín. El día de Navidad, metido en la media del Niño, apenas con la cabeza afuera, con una rama de acebo entre las patas, se veía precioso.

Entre la media había otras cosas: nueces, naranjas, una locomotora de juguete, almendras de chocolate y un ratón de cuerda, pero el Conejo era lo mejor de todo. El Niño lo acarició por lo menos durante dos horas; después llegaron las tías y los tíos, y durante un rato se oyó el crujir del papel de seda y el desenvolver de paquetes, y, en la emoción de abrir tantos regalos, el Conejo de Felpa fue olvidado.

Durante mucho tiempo vivió en el armario de los juguetes o en el piso del cuarto de juego, y nadie pensó mucho en él. Era tímido por naturaleza, y como estaba hecho sólo de felpa, algunos de los juguetes más costosos lo trataban con desprecio. Los juquetes mecánicos eran muy superiores, y se creían mejores que todos los demás; estaban llenos de ideas modernas y pretendían que eran de verdad. El bote modelo, que ya había cumplido dos años y había perdido gran parte de su pintura, los imitaba, y jamás perdía una oportunidad de referirse a su cordaje en términos técnicos. El Conejo no podía pretender ser modelo de nada porque no sabía que los conejos de verdad existían; pensaba que todos estaban rellenos de aserrín, como él, y entendía que el aserrín estaba muy pasado de moda y no debía mencionarse en círculos sociales. Incluso Timoteo, el león de madera desarticulado, que había sido fabricado por soldados lisiados y que debiera haber sido más tolerante, se daba ínfulas, y fingía que tenía conexiones con el Go-

bierno. El pobre Conejito se sentía muy insignificante y común entre todos ellos, y la única persona amable con él era el Caballo de Piel.

El Caballo de Piel había vivido en el cuarto de juego mucho más tiempo que los demás. Era tan viejo que en algunas partes no tenía pelo y se le veían las costuras, y la mayoría de las cerdas de la cola le habían sido arrancadas para anudar collares de bolitas perforadas. Era sabio porque había visto

toda una larga serie de juguetes mecánicos llegar llenos de jactancia y ostentación, y, con el tiempo, romperse su mecanismo interno y morir; y sabía que no eran más que juguetes y que jamás llegarían a ser nada más.

Porque la magia de los cuartos de juego es algo muy raro y maravilloso y sólo los juguetes que son viejos, sabios y experimentados, como el Caballo de Piel, entienden esas cosas.

—¿Qué es ser de *Verdad?* —preguntó el Conejo un día, cuando estaban acostados, lado a lado, junto a la repisa del cuarto de los niños, antes de que Nana viniera a ordenar la habitación—. ¿Significa que uno tiene cosas que le zumban por dentro y una manija que sobresale?

—Ser de Verdad no depende de cómo estás hecho —dijo el Caballo de Piel—. Es algo que te sucede. Cuando un niño te quiere durante mucho, mucho tiempo, no sólo para jugar contigo, sino que *realmente* te quiere, entonces te vuelves de Verdad.

—¿Duele? —preguntó el Conejo.

—A veces —dijo el Caballo de Piel, porque siempre decía la verdad—. Pero cuando uno es de

Verdad no le importa que le duela algo.

—¿Sucede de repente, como cuando te dan cuerda, o poco a poco?

—No sucede de repente —dijo el Caballo de Piel—. Te vas volviendo. Es algo que tarda mucho tiempo. Por esa razón no le su-

cede a la gente que se rompe con facilidad, o que tiene los bordes afilados, o que hay que guardar con cuidado.

Generalmente, cuando por fin eres de Verdad, la mayor parte del pelo se te ha gastado de cariño, y los ojos se te han caído y tienes las coyunturas sueltas y estás muy raído.

Pero todo eso no importa en absoluto, porque cuando eres de Verdad no puedes ser feo, excepto para la gente que no entiende.

—Supongo que *tú* eres de Verdad —dijo el Conejo. Y entonces deseó no haberlo dicho, pues pensó que el Caballo de Piel podría ser sensible. Mas el Caballo de Piel sólo sonrió.

—El Tío del Niño me hizo de Verdad —dijo—. Eso fue hace muchos años; pero una vez que eres de Verdad ya jamás puedes dejar de serlo. Dura para siempre.

El Conejo suspiró. Pensó que pasaría mucho tiempo antes de que esa magia llamada ser de Verdad le sucediera a él. Anhelaba serlo, saber qué se sentía; y

sin embargo, la idea de volverse raído y de perder los ojos y los bigotes lo entristecía. Le hubiera gustado volverse de Verdad sin que le sucedieran todas esas cosas incómodas.

Había una persona llamada Nana que mandaba en el cuarto de juego. A veces ni miraba los juguetes que se hallaban esparcidos en el piso, y a veces, sin ningún motivo, descendía como un ventarrón y en un santiamén los lanzaba enérgicamente a los armarios. A esto lo llamaba

«arreglar», y todos los juguetes lo aborrecían, especialmente los de estaño. Al Conejo no le molestaba tanto, porque cuando lo tiraban caía suavemente.

Un día, cuando el Niño se iba a acostar, no pudo encontrar el perro de porcelana que siempre dormía con él. Nana estaba de prisa, y era demasiado molesto ponerse a buscar perros de porcelana a la hora de acostarse, de modo que simplemente miró a su alrededor, y viendo que la puerta del armario de los juguetes estaba abierta, le echó mano a lo primero que encontró.

—Toma tu viejo conejillo. ¡Te servirá para dormir! —dijo, y tomando al Conejo de una oreja lo puso en los brazos del Niño. Esa noche, y durante muchas noches después, el Conejo de Felpa durmió en la cama del Niño. Al principio le pareció incómodo porque el Niño lo abrazaba muy fuerte, a veces se quedaba dormido en-

cima de él y a veces lo empujaba hasta tal punto debajo de la almohada que el Conejo a duras penas podía respirar. Y también le hacían falta aquellas largas horas en el cuarto de juego a la luz de la Luna y sus conversaciones con el Caballo de Piel. Pero muy pronto llegó a gustarle, porque el

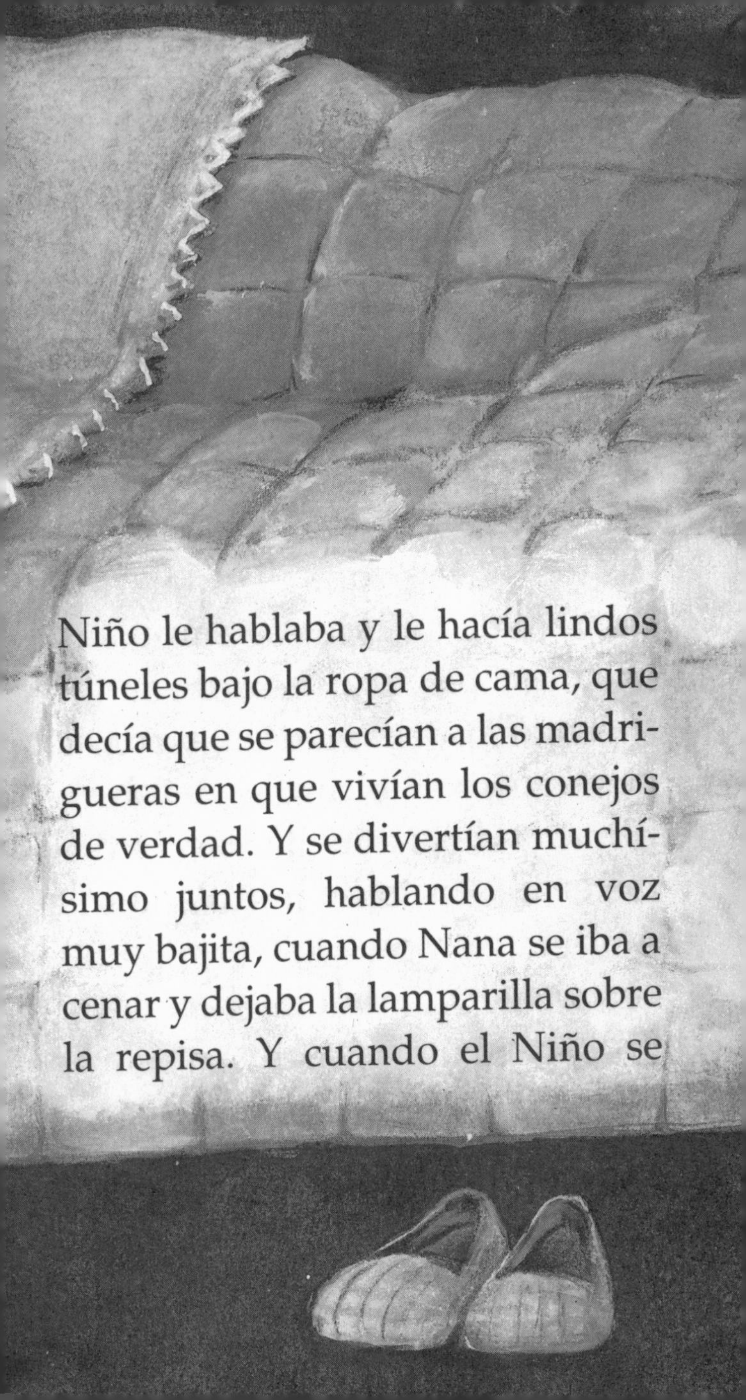

Niño le hablaba y le hacía lindos túneles bajo la ropa de cama, que decía que se parecían a las madrigueras en que vivían los conejos de verdad. Y se divertían muchísimo juntos, hablando en voz muy bajita, cuando Nana se iba a cenar y dejaba la lamparilla sobre la repisa. Y cuando el Niño se dormía, el Conejo se le arrimaba a la barbilla calentita y soñaba, con las manos del Niño a su alrededor toda la noche.

Así pasó el tiempo, y el Conejito era muy feliz — tan feliz que jamás notó que su piel de felpa se estaba volviendo cada vez más raída y que la cola se le estaba descosiendo y que el color rosa de la nariz, donde el Niño lo besaba, estaba desapareciendo.

Llegó la primavera, y pasaron largos días en el jardín, porque a donde iba el Niño, allá iba el Conejo. Montó en carretilla, paseó por el campo y jugó entre las matas de frambuesas detrás de los macizos de flores, en bellísimos escondites encantados construidos para él. Y una vez, cuando al Niño lo llamaron súbita-

mente, para que fuera a tomar el té fuera de casa, dejó al Conejo sobre el césped hasta mucho después del atardecer, y Nana tuvo que ir a buscarlo con un candil, porque el Niño no podía dormir sin él. Estaba empapado de rocío y cubierto de tierra de tanto zambullirse en las madrigueras que el Niño le había hecho en los macizos de flores, y Nana refunfuñó todo el tiempo mientras lo limpiaba con el borde de su delantal.

—Sí. ¡No puedes acostarte sin tu viejo Conejo! —comentó—.

¡Jamás había visto semejante alboroto por un juguete!

El Niño se sentó en la cama y extendió los brazos.

—Dame mi Conejito —le dijo—. No debes decir eso. El no es un juguete. ¡El es de VERDAD!

Cuando el Conejito oyó eso se puso feliz, porque sabía que lo que el Caballo de Piel le había dicho era cierto, al fin. El efecto mágico del cuarto de juego había llegado hasta él, y ya no era un juguete. Era de Verdad. El Niño lo había dicho.

Aquella noche estaba tan feliz que casi no pudo dormir, y su corazoncito de aserrín se hallaba tan agitado y tan lleno de amor que estuvo a punto de estallar. Y sus ojos de botones, que hacía tanto tiempo habían perdido el brillo, adquirieron una sabiduría y una belleza que hasta Nana notó, cuando, a la mañana siguiente, lo recogió y dijo:

—¡Caramba! ¡Pero si ese viejo Conejo tiene cara de sabio!

Aquél fue un verano maravilloso.

Cerca de la casa donde vivían había un bosque, y en las largas tardes de junio al Niño le gustaba ir a jugar allí, después de la hora del té. Llevaba al Conejo de Felpa, y antes de ir a recoger flores o a jugar a ladrones y bandidos entre los árboles, siempre le hacía al Conejo un nidito entre los helechos para que estuviera bien abrigado, porque era un niñito de buen corazón y le gustaba que el Conejito estuviera cómodo. Un día, ya tarde, mientras el Conejo se hallaba solo mirando las hormigas que se paseaban de un lado para otro por su cuerpo de felpa, vio dos seres raros que surgieron de entre los altos helechos, muy cerca de él.

Eran conejos como él, pero muy lanosos y nuevecitos. Debían de estar muy bien hechos, porque las costuras no se les veían en lo más mínimo, y cambiaban de forma de una manera muy extraña cuando se movían; un minuto eran largos y delgados, y al siguiente, gordos y abultados, en vez de quedarse siempre iguales como él. Se le acercaron cautelosamente, sin hacer el más leve ruido, frunciendo las

narices, mientras el Conejo los miraba fijamente tratando de averiguar de qué lado tenían el mecanismo, porque él sabía que la gente que salta generalmente tiene algún aparato para darle cuerda. Pero no lo veía. Sin duda se trataba de un nuevo tipo de conejo.

Lo miraban, y él los miraba, y todo el tiempo fruncían la nariz.

—¿Por qué no te levantas y vienes a jugar con nosotros? —le preguntó uno.

—No tengo ganas —contestó el Conejo, pues no quería explicar que no tenía ningún mecanismo.

—¡Ja! —dijo el conejo lanoso—. ¡Es facilísimo! —y dando un brinco de lado, quedó parado sobre las patas traseras.

—No creo que puedas... —añadió.

—¡Sí puedo! —dijo el Conejito—. ¡Puedo saltar altísimo!

Se refería a cuando el Niño lo lanzaba por el aire, pero claro que no quería decirlo.

—¿Puedes brincar sobre tus patas traseras? —le preguntó el conejo lanoso.

¡Esa era una pregunta horrible, porque el Conejo de Felpa no tenía patas traseras! Su parte de atrás estaba hecha de un solo trozo, como un cojín de alfileres. Se quedó quieto entre los helechos, con la esperanza de que los otros conejos no se dieran cuenta.

—No quiero —dijo otra vez.

Mas los conejos de campo tienen ojos muy agudos, y éste alargó el cuello y miró.

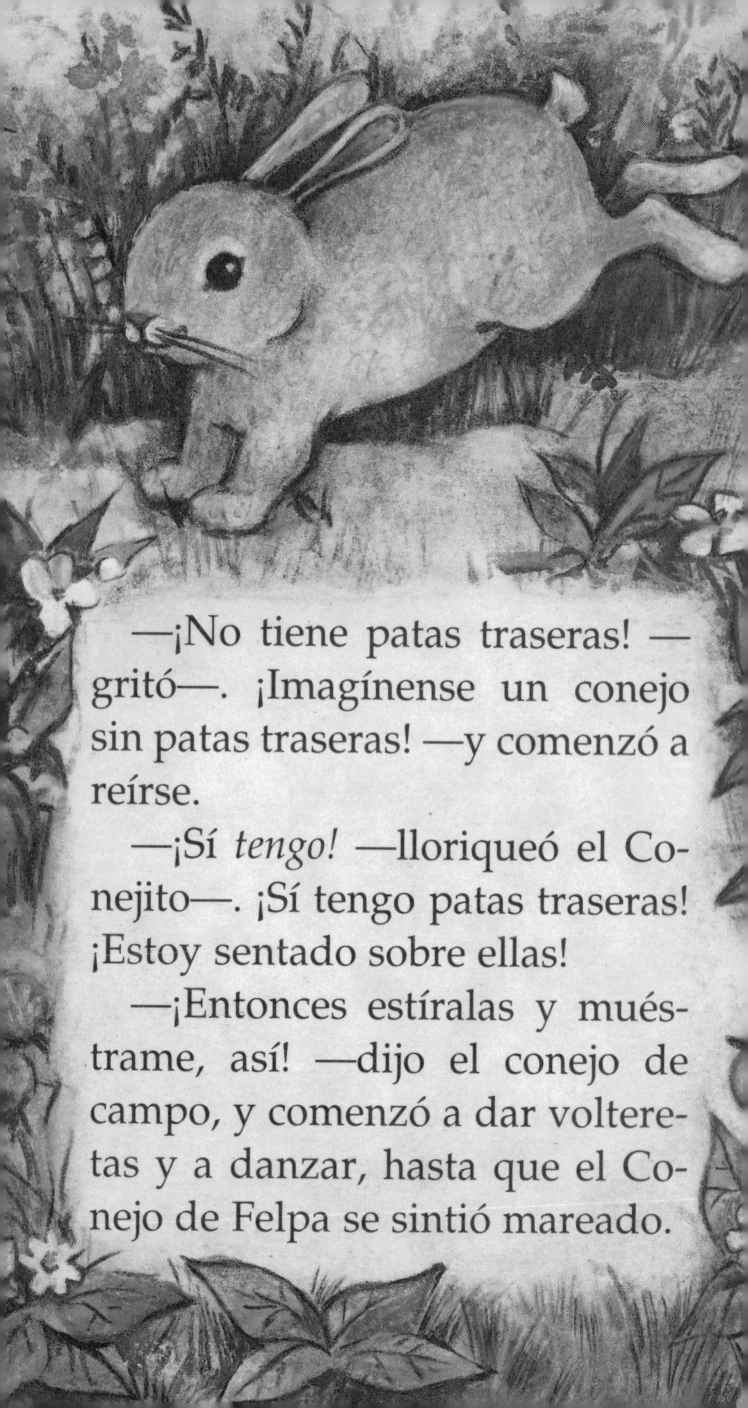

—¡No tiene patas traseras! —gritó—. ¡Imagínense un conejo sin patas traseras! —y comenzó a reírse.

—¡Sí *tengo!* —lloriqueó el Conejito—. ¡Sí tengo patas traseras! ¡Estoy sentado sobre ellas!

—¡Entonces estíralas y muéstrame, así! —dijo el conejo de campo, y comenzó a dar volteretas y a danzar, hasta que el Conejo de Felpa se sintió mareado.

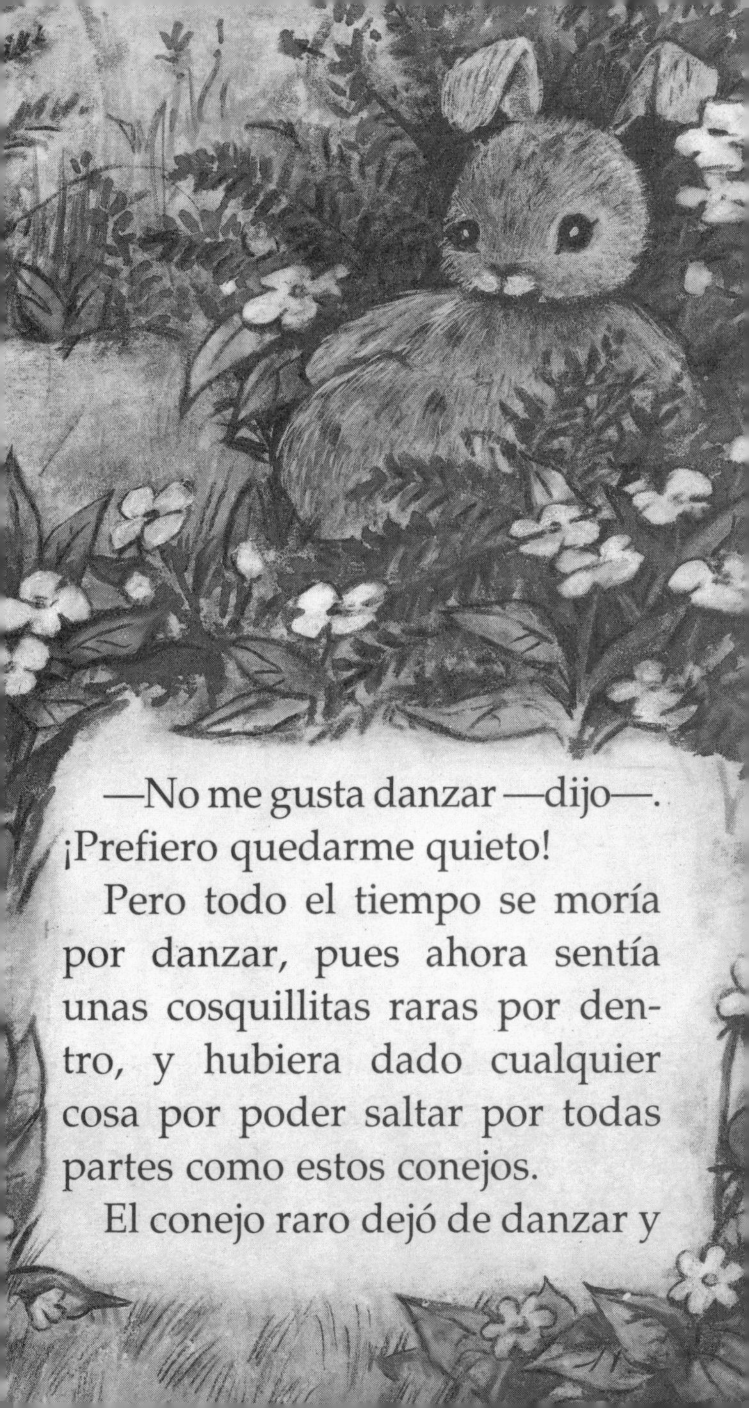

—No me gusta danzar —dijo—. ¡Prefiero quedarme quieto!

Pero todo el tiempo se moría por danzar, pues ahora sentía unas cosquillitas raras por dentro, y hubiera dado cualquier cosa por poder saltar por todas partes como estos conejos.

El conejo raro dejó de danzar y

se acercó. Se acercó tanto que esta vez sus largos bigotes rozaron la oreja del Conejo de Felpa, y entonces, de repente, frunció la nariz, bajó las orejas y brincó hacia atrás.

—¡No huele como debe oler! —exclamó—. ¡No es un conejo! ¡No es de verdad!

—¡Sí *soy* de Verdad! —contestó el Conejito—. *Soy* de Verdad —y estuvo a punto de echarse a llorar.

En ese momento, se oyeron unos pasos, y el Niño pasó corriendo cerca de ellos, y con un movimiento veloz de patas y un fogonazo de colas blancas los conejos raros desaparecieron.

—¡Regresen y jueguen conmigo! —les gritó el Conejito—. ¡Por favor vuelvan! ¡Yo *sé* que soy de Verdad!

Pero no hubo respuesta; sólo las hormigas corrían de un lado para otro y los helechos se mecían suavemente por donde los dos conejos habían pasado. El Conejo de Felpa se hallaba solo.

«¡Qué lástima!», pensó. «¿Por qué se irían? ¿Por qué no podían quedarse jugando conmigo?»

Se quedó quieto durante un largo rato, mirando los helechos y suspirando por que volvieran; pero nunca aparecieron, y poco después se ocultó el Sol, y las mariposítas blancas comenzaron a salir, y el Niño vino y lo llevó a casa.

Pasaron muchas semanas, y el Conejito se volvió viejo y desharrapado, pero el Niño lo quería igual que antes. Lo quería tanto que de tanto quererlo se le cayeron los bigotes, el forro rosado de las orejas se volvió gris y las manchas de color marrón se desvanecieron. Comenzó incluso a perder su forma, y ya casi no se parecía a un conejo, excepto para el Niño. El lo creía bello, y eso era todo lo que al Conejito le impor-

taba. No le importaba cómo se veía ante los demás, porque la magia del cuarto de juego lo había hecho de Verdad, y cuando uno es de Verdad, no importa verse raído. Y entonces, un día, el Niño enfermó.

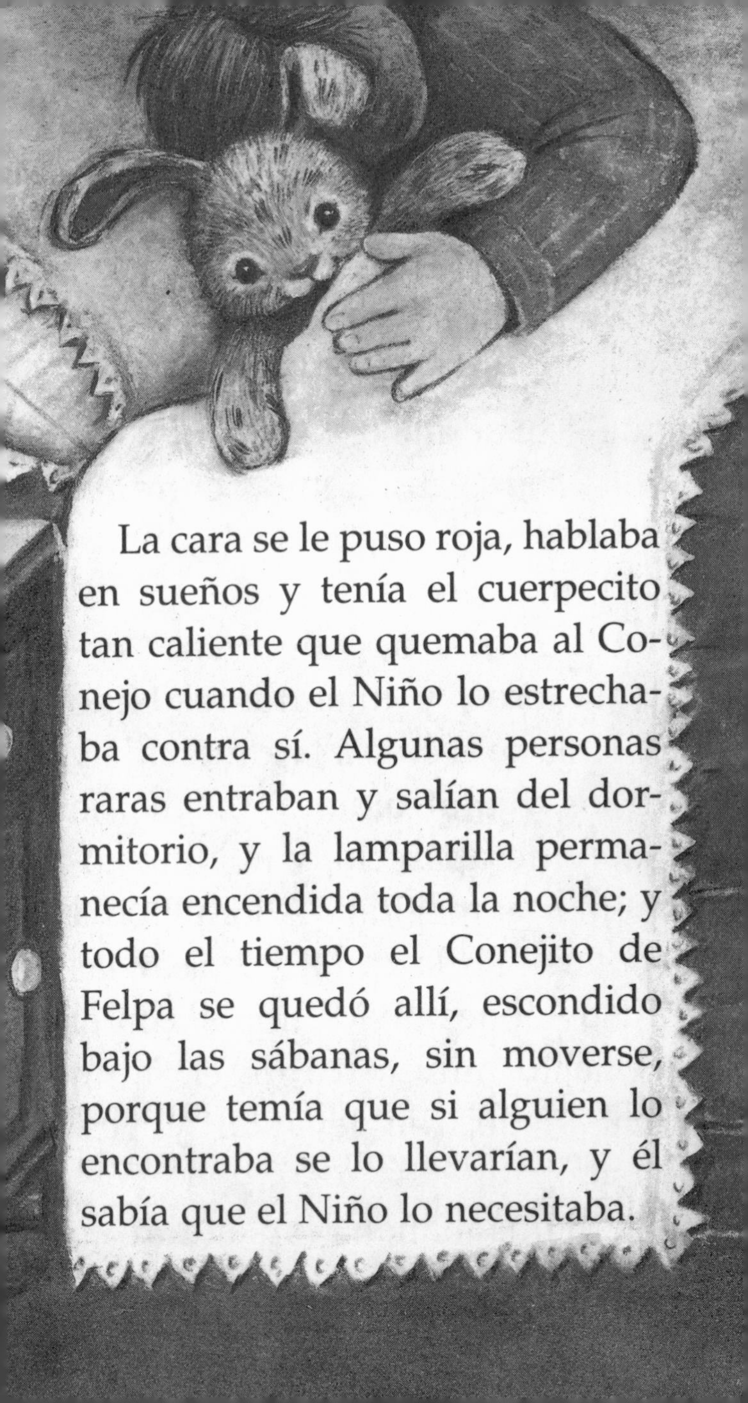

La cara se le puso roja, hablaba en sueños y tenía el cuerpecito tan caliente que quemaba al Conejo cuando el Niño lo estrechaba contra sí. Algunas personas raras entraban y salían del dormitorio, y la lamparilla permanecía encendida toda la noche; y todo el tiempo el Conejito de Felpa se quedó allí, escondido bajo las sábanas, sin moverse, porque temía que si alguien lo encontraba se lo llevarían, y él sabía que el Niño lo necesitaba.

Fueron días tediosos, porque el Niño estaba demasiado enfermo para jugar, y el Conejito se aburría sin nada que hacer todo el día. Pero se hacía juntito al Niño y pacientemente esperaba a que éste se mejorara y pudieran volver al jardín a jugar entre las flores y las mariposas y las matas de frambuesa.

Hizo todo tipo de planes encantadores, y mientras el Niño dormía se acercó a la almohada y se los dijo al oído. Y un día, la fiebre desapareció, y el Niño comenzó a mejorar. Ahora podía sentarse en la cama y hojear las ilustraciones de los libros, con el Conejito muy cerca de él. Y un día, lo dejaron levantar y vestirse.

Era una mañana esplendorosa,

llena de sol, y las ventanas estaban abiertas. Habían llevado al Niño al balcón, envuelto en una manta, y el Conejito se hallaba enredado entre la ropa de cama, pensando.

El Niño iba a partir para la playa al día siguiente. Ya todo estaba arreglado y sólo faltaba cumplir las órdenes del médico. Lo habían discutido todo, mientras el Conejito yacía bajo las sábanas, con sólo la cabeza afuera, escuchando. Desinfectarían la habitación, y todos los libros y los juguetes con los cuales el Niño había jugado serían quemados.

«¡Qué dicha! ¡Mañana nos marcharemos a la playa!», pensó el Conejito, porque el Niño con frecuencia le había hablado del mar, y él tenía muchos deseos de ver las grandes olas, y los diminutos cangrejos y los castillos de arena.

Justo en ese momento Nana alcanzó a verlo.

—¿Y su viejo Conejo? —preguntó.

—*¿Eso?* —dijo el médico—. ¡Si es una masa de microbios de fiebre escarlatina! Quémelo inmediatamente. Que ¿qué? ¡Tonterías! Cómprenle uno nuevo. No debe jugar más con ése.

Y fue así como al Conejito lo metieron en un costal, con los

libros viejos y una cantidad de basura, y lo llevaron al otro extremo del jardín, cerca del gallinero. Era un magnífico sitio para hacer una fogata, sólo que el jardinero estaba muy ocupado para encargarse de ella.

Tenía que desenterrar las papas y cosechar los guisantes, pero prometió que a la mañana siguiente, muy temprano, lo quemaría todo.

Esa noche, el Niño durmió en una habitación diferente, con un nuevo conejito. Era un conejo estupendo, de peluche blanco y ojos de vidrio de verdad, pero el Niño estaba demasiado entusiasmado y no le puso mucha atención. Mañana partiría para la playa, y eso, en sí, era algo tan maravilloso que no podía pensar en nada más.

Y mientras el Niño dormía y soñaba con la playa, el Conejito yacía en un rincón entre los viejos libros de cuentos, detrás del gallinero, y se sentía muy solo. El costal había quedado abierto, así que, retorciéndose un poco, había logrado sacar la cabeza y mirar hacia afuera. Tiritaba un poquito, pues siempre había estado acostumbrado a dormir en una cama de verdad, y ahora tenía la piel tan gastada de tantos abrazos que ya no le brindaba ninguna protección. Desde allí podía ver la espesura de frambuesos, altos y apretados como una selva tropical, donde antaño había jugado con el Niño. Pensó en aquellas largas horas bañadas de sol en el jardín — ¡qué felices habían sido! — y lo invadió una gran tristeza. Las veía pasar frente a él, cada una más bella que la anterior: los escondites encantados entre los macizos de flores, las tranquilas tardes en el bosque cuando, acostado entre los helechos, las hormigas le recorrían el cuerpo;

aquel día maravilloso cuando supo por primera vez que era de Verdad. Pensó en el Caballo de Piel, tan sabio y tan dulce, y en todo lo que le había dicho. ¿De qué le servía a uno ser querido y perder toda su belleza y volverse de Verdad si todo terminaba así? Y una lágrima, una lágrima de verdad, le resbaló por su raída naricita de felpa y cayó al suelo.

Y entonces, sucedió una cosa extraña. En el sitio donde había caído la lágrima, creció una mata — una mata misteriosa, en nada parecida a las que había en el jardín. Tenía hojas delicadas y verdes de color esmeralda, y en el centro de las hojas un capullo como una copa dorada. Era tan bella que el Conejito olvidó el llanto, y simplemente se quedó mirándola. Y la flor se abrió y de ella surgió un hada.

Era el hada más bella del mundo. Su vestido era de perlas y gotas de rocío, tenía flores alrededor del cuello y en el cabello, y

su rostro era como la flor más perfecta. Se acercó al Conejito, lo tomó en sus brazos y lo besó en la nariz de felpa, que estaba húmeda de llanto.

—Conejito, ¿no sabes quién soy? —le preguntó.

El Conejo la miró, y le pareció que había visto esa cara antes, pero no recordaba dónde.

—Soy el Hada mágica del cuarto de juego —le dijo—. Cuido de todos los juguetes que los niños han querido. Cuando ya están viejos y raídos y los niños ya no los necesitan, yo vengo y me los llevo y los vuelvo de Verdad.

—¿Acaso no era de Verdad antes? —le preguntó el Conejito.

—Eras de Verdad para el Niño porque él te quería. Ahora serás de Verdad para todo el mundo

—le contestó el Hada, y tomó al Conejito en sus brazos y voló con él hacia el bosque.

La noche era clara, pues había luna. Todo el bosque estaba bellísimo, y el follaje de los helechos brillaba como plata escarchada.

En el claro, entre los troncos de los árboles, los conejos de campo danzaban con sus sombras sobre la hierba aterciopelada, pero al ver al Hada se detuvieron y formaron un círculo para mirarla.

—Les traigo un nuevo compañero de juegos —les dijo el Hada—. Deben ser muy amables con él y enseñarle todo lo que necesita saber en Conejilandia, ¡pues va a vivir con ustedes para siempre!

Y besó nuevamente al Conejito y lo puso sobre la hierba.

—Anda y juega, Conejito —le dijo.

Pero el Conejito se quedó quieto durante un momento, y no se movió, pues al ver danzar a los conejos de campo se acordó de que no tenía patas traseras, y no quería que vieran que estaba hecho de una sola pieza. No sabía que cuando el Hada lo había besado la última vez, lo había transformado totalmente. Y así se habría quedado un largo rato, si en aquel instante algo no le hubiera hecho cosquillas en la nariz, y antes de que se diera cuenta de lo que hacía, levantó la pata trasera y se rascó.

Y encontró que, efectivamente, tenía patas traseras. En vez de la vieja felpa tenía una piel de color castaño, suave y lustrosa, las orejas se contraían solas y sus nue-

vos bigotes eran tan largos que rozaban la hierba. Dio un brinco y la dicha de usar las patas traseras fue tan grande que siguió saltando sobre ellas alrededor del césped, dando cabriolas y giros como los otros, y fue tal su emoción que cuando finalmente se detuvo y buscó al Hada, ésta se había ido.

Por fin era un Conejo de Verdad, en su elemento con los demás conejos.

El otoño y el invierno pasaron, y en la primavera, cuando los días se tornaron cálidos y soleados, el Niño salió a jugar en el bosque que había detrás de la casa. Y mientras jugaba, dos conejos surgieron de los helechos y se pusieron a atisbarlo. Uno de ellos era todo de color castaño, pero el otro tenía marcas raras bajo la piel, como si mucho tiempo antes hubiera tenido manchas, y éstas todavía se vieran a través de la piel. Y había algo familiar en su naricita suave y en sus redondos ojos negros que hizo que el Niño se dijera: «¡Cómo se parece a mi viejo Conejito,

el que se me perdió cuando tuve la fiebre escarlatina!»

Pero jamás supo que, en realidad, se trataba de su Conejito, que había vuelto a mirar al Niño que una vez le enseñó a ser de Verdad.

OTROS TITULOS

Torre roja (a partir de 7 años):

De por qué a Franz le dolió el estómago
Christine Nöstlinger

A Franz no le gustan algunas cosas de la escuela, entre ellas su maestro Zac Zac y su peor enemigo, Daniel Eberhard. Zac Zac les habla a los niños como si fueran soldados. Sólo dice frases como «¡Siéntense!», «¡Abran el cuaderno!» o «¡Cállense!» Por su parte, Daniel Eberhard no hace más que burlarse de Franz porque es el niño más pequeño de la escuela. La abuelita de Franz y Lily le ayudan a solucionar ambos problemas, pero ¡qué líos en los que lo meten!

Más historias de Franz
Christine Nöstlinger

Franz tiene seis años y seis meses, y es muy amigo de Gabi, su vecina. Ambos asisten a la misma escuela, pero no están en el mismo salón de clase. Gabi no puede creer que Franz ya haya aprendido a leer, e insiste en no creerle cuando éste se lo asegura, ¡pero Franz se las ingenia para hacer que Gabi cambie de opinión!

Nuevas historias de Franz en la escuela
Christine Nöstlinger

Franz tiene siete años y seis meses. Como todas las personas, tiene algunos problemas: es el niño más pequeño de la escuela, cuando está nervioso la voz se le pone muy aguda, y a veces lo confunden con una niña, ¡a causa de sus rizos dorados! Pero Franz consigue solucionar casi todos sus problemas... ¡de una manera bastante simpática y original!

Las enfermedades de Franz
Christine Nöstlinger

Franz siempre se enferma en los momentos más inoportunos. Cuando quiere faltar a la escuela está más saludable que nunca. En cambio se enferma cuando Gabi cumple años o cuando el circo está de paso por la ciudad. A Franz esto le parece cruel e injusto. Solamente una vez ha tenido suerte con las enfermedades. ¡Claro que fue Josef, su hermano mayor, quien tuvo que irse a la cama!

Las vacaciones de Franz
Christine Nöstlinger

Franz pasará parte de sus vacaciones en una casa vacacional para niños, pero, a medida que se acerca el día de la partida, la idea le gusta menos: nunca antes ha estado lejos de sus padres o de su abuela. Sin embargo, su estadía allí será más divertida de lo que él se imagina...

¡Hurra! Susanita ya tiene dientes
Dimiter Inkiow

Para Claudio no fue nada fácil convertirse en el hermano mayor de un bebé. ¿Por qué?, te preguntarás. Pues cuando te llegue un hermanito lo sabrás, aunque para entonces será demasiado tarde, pues el bebé ya habrá llegado y será imposible devolverlo.

De cómo me convertí en hermano mayor
Dimiter Inkiow

Claudio quería tener un hermano mayor que lo defendiera en la escuela, como les sucedía a Gabi y a Pedro, sus compañeros de clase. Pero, como esto era imposible, decidió convertirse él en hermano mayor...

Solomán
Ramón García Domínguez

En esta divertidísima historia Solomán es un héroe que no posee poderes sobrenaturales. Es «sólo un hombre» que logra, con el sentido común, lo que los demás superhéroes no consiguen con sus poderes mágicos y extraordinarios.

El país más hermoso del mundo
David Sánchez Juliao

Lalo y Tala emprenden un viaje en compañía del Sol. Visitan los doce meses del año, que son doce países diferentes. Descubren que cada mes es distinto de los demás, y que tiene algún encanto especial. Doce fantásticas aventuras comparten Lalo y Tala con los habitantes de Enero, de Febrero, de Marzo...

Yo, Clara y el gato Casimiro
Dimiter Inkiow

Yo, Clara y el gato Casimiro recoge trece simpáticas situaciones protagonizadas por Clara y su hermanito, entre las cuales se narra la vez en que Clara llevó a Casimiro de visita a casa de la tía Emma y el gato hizo de las suyas con los peces que estaban en la pecera.

Yo y mi hermana Clara
Dimiter Inkiow

Clara y su hermanito tienen tanta imaginación que son capaces de gastarles toda clase de bromas a su tío Toni, a la tía Flora, a su perrito Sabueso y, lógicamente, también a sus papás.

El zorrito abandonado
Irina Korschunow

El carácter de algunos de los animales del bosque se pone de manifiesto en esta historia, que muestra el sentimiento materno que se despierta en una zorra cuando encuentra a un zorrito huérfano abandonado en el bosque. La zorra decide criarlo con sus propios hijos, y el zorrito se convierte de inmediato en un miembro más de la familia.

A los duendes les gustan los pepinillos
Kirsten Boie

A Iván no le gusta que sus padres lo dejen solo, a pesar de que sabe que es muy difícil que los ladrones se entren en su apartamento. Sin embargo, alguien logra entrar, no precisamente para robar sino para arreglar el desorden, ¡y hay que ver los problemas en los que mete a Iván!

King-Kong, mi mascota secreta
Kirsten Boie

Juan Pablo quiere tener una mascota, pero a sus padres no les llama la atención esta idea. ¡Pobre Juan Pablo! ¡Realmente se está muriendo de ganas de tener un animalito en casa!

King-Kong, el conejillo de Indias viajero
Kirsten Boie

Juan Pablo está feliz porque se va de vacaciones a la playa, pero tiene un problema: no puede llevar a King-Kong, su conejillo de Indias. Como sabe que las vacaciones sin su mascota perderían todo el encanto, intenta llevarla sin que sus padres se enteren.

La puerta olvidada
Paul Maar

La llave antigua y oxidada que Andrés se encuentra un día no sirve para abrir ninguna de las puertas de su casa. Pero su padre recuerda una puerta olvidada en la pared del fondo del desván... ¡y deciden abrirla!

Roberto y Otrebor
Paul Maar

Roberto se aburre mucho en su nueva alcoba, en su nuevo apartamento y en su nuevo colegio, así que decide hacerse amigo de Otrebor, el niño que vive en las selvas del papel de colgadura de su nueva alcoba. Pero es difícil olvidarse de lo que sucede afuera, de sus compañeros de colegio, de Juliana, esa niña que tanto le gusta, y jugar sólo con Otrebor

¡Bravo, Tristán!
Marie-Aude Murail

Tristán quisiera pertenecer a una de las bandas de su clase, pero para entrar en ellas hay que pasar varias pruebas, algunas de ellas peligrosas. Por eso decide formar su propia banda con su hermana Karina y los compañeros de ella.

La hechicera y el comisario
Pierre Gripari

Quizás nunca hayas escuchado dos historias tan divertidas:

Una viejita, de aspecto un poco extraño, tiene unos personajes muy raros en su casa. ¡Toda la gente del barrio está intrigadísima...! ¿Te puedes imaginar de dónde han venido?

Un comerciante, de un país lejano, quiere inventar una táctica fabulosa que le ayude a vender unas aves poco comunes, pero sus clientes no son tan fáciles de convencer, y los pájaros empiezan a impacientarse...